W9-BNY-998

Je suis un
lion
Karen Durrie
Weigl

Publié par Weigl Educational Publishers Limited
6325 10th Street SE
Calgary, Alberta T2H 2Z9
Site web : www.weigl.ca

Catalogage avant publication de Bibliothèque et Archives Canada

Durrie, Karen
[I am a lion. Français]
Le lion / Karen Durrie.

(Je suis)
Traduction de : I am a lion.
Publié en formats imprimé(s) et électronique(s).
ISBN 978-1-4872-0058-9 (relié).--ISBN 978-1-4872-0059-6 (livre électronique multiutilisateur)

1. Lion--Ouvrages pour la jeunesse. I. Titre. II. Titre : I am a lion. Français.

QL737.C23D8714 2014 j599.757 C2014-901713-8
C2014-901714-6

Imprimé à North Mankato, Minnesota, aux États-Unis d'Amérique
1 2 3 4 5 6 7 8 9 0 18 17 16 15 14

052014
WEP010714

Coordonnateur de projet : Jared Siemens
Directeur artistique : Terry Paulhus
Traduction : Translation Cloud LLC

Weigl reconnaît que les images Getty sont le principal fournisseur d'images pour ce titre.

Dans notre travail d'édition nous recevons le soutien financier du gouvernement du Canada par l'entremise du Fonds du livre du Canada.

Je suis un lion

Dans ce livre, je vous parlerais de

- moi
- mes nourriture
- mon logement
- ma famille

et bien plus!

Je suis le lion.

Je suis le deuxième plus grand félin du monde.

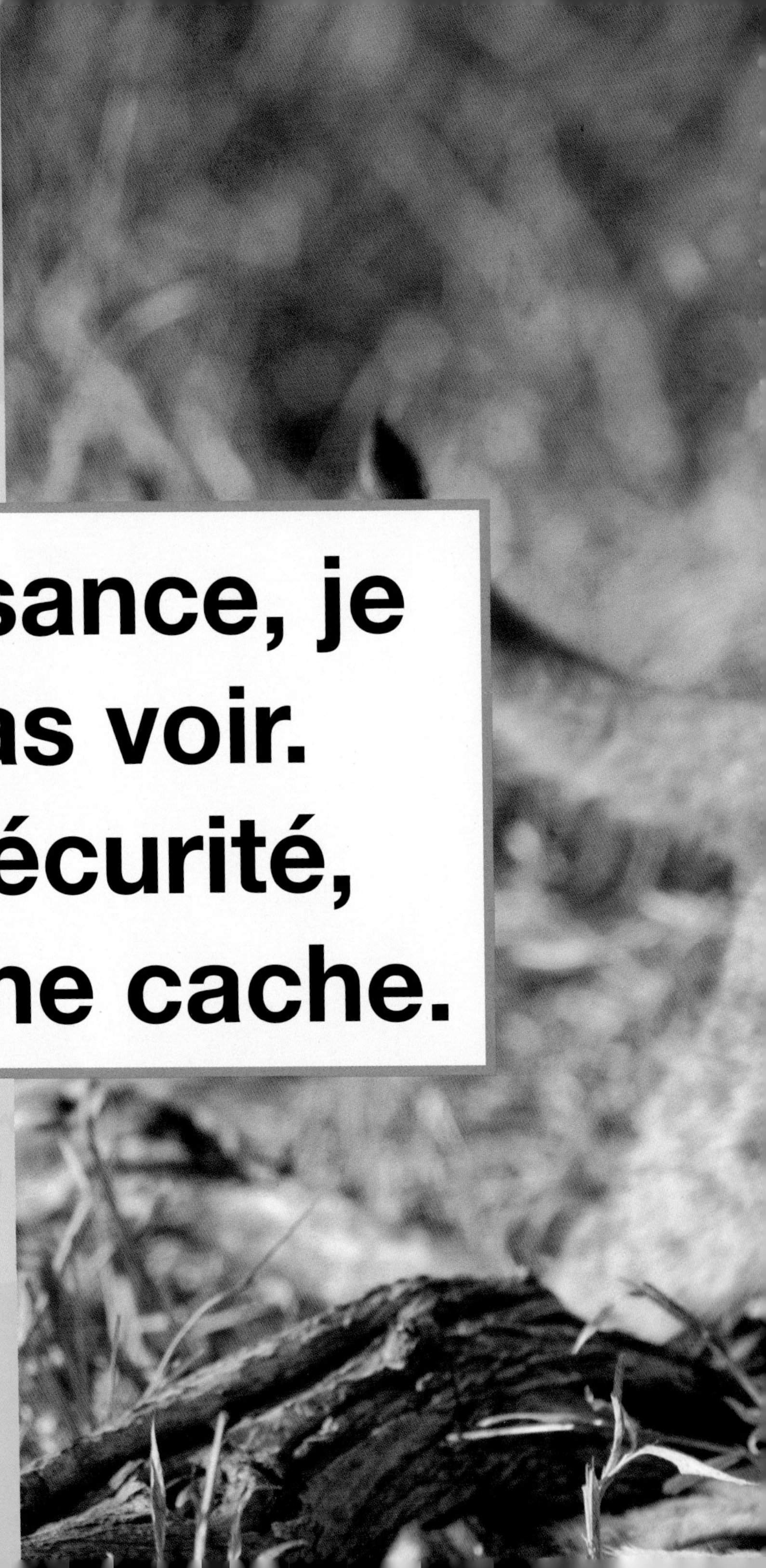

A ma naissance, je ne peux pas voir. Pour ma sécurité, ma mére me cache.

Mon rugissement peut être entendu à 8 kilomètres.

Je peux passer cinq jours sans boire de l’eau.

Je peux parcourir un stade de football en six secondes.

Je dors pendant 20 heures chaque jour.

Je peux manger la nourriture èquivalente à 34 kilogrammes livres en un seul repas.

J'ai une longue crinière autour de mon cou.

Je suis le lion.

FAITS SUR LE LION

Ces pages fournissent plus de détails sur des faits intéressants trouvés dans le livre. Ils sont destinés aux adultes comme un outil d'apprentissage qui les aide à approfondir leur connaissance sur chaque animal compris dans les séries *I Am*.

Pages 4–5

Je suis le lion. Les lions sont des animaux sauvages qui vivent le plus souvent dans les parcs et des réserves d'Afrique, notamment au sud du désert du Sahara. Ils vivent généralement dans les prairies, les forêts sèches et les plaines. Ils ont une fourrure courte et grossière dont la couleur varie du brun clair au rougeâtre/or.

Pages 6–7

Les lions sont les deuxièmes plus grands félins du monde. Les Lions en ce qui concerne la taille suivent les tigres même si la taille de leurs épaules à la patte avant dépasse les tigres. Le plus grand lion peut peser plus de 272 kg et mesurer quatre mètres de long du nez à la queue. Les lionnes sont plus petites que les mâles.

Pages 8–9

À la naissance, les lionceaux ne voient pas. Leurs mères les cachent pour leur sécurité. Les lionceaux naissent avec les yeux fermés. Leurs yeux s'ouvrent dans les dix jours qui suivent leur naissance. Les lions naissent avec des poils blancs tachetés. Les lionnes les mettent en sécurité et les introduisent au reste de la famille, appelée la troupe, au bout d'un mois ou deux.

Pages 10–11

Le rugissement des lions peut être entendu à huit kilomètres (8 km). Les lions rugissent pour communiquer avec leur troupe. Ils le font également pour indiquer leur présence aux autres lions et affirmer l'importance de leur troupe. Ils communiquent également en se frottant les uns aux autres, à travers des mouvements de queue et des sons tels que des grognements.

Pages 12–13

Les lions peuvent passer cinq jours sans boire de l'eau. Si une source d'eau est à proximité, le lion s'abreuve tous les jours. Dans le cas contraire, les lions peuvent passer quatre à cinq jours sans boire de l'eau. Les plantes et leurs proies leur fournissent dans ce cas la fraîcheur dont ils ont besoin.

Pages 14–15

Les lions peuvent parcourir un stade de football en six secondes. Cette distance est de 110 mètres. Les Lions parcourent une vitesse de 80 km par heure. Ils courent aussi vite uniquement sur les courtes distances et le font généralement lorsqu'ils poursuivent une proie.

Pages 16–17

Les lions dorment 20 heures par jour. Les lions pèsent et vivent dans des endroits chauds, ils préfèrent s'allonger et dormir pour se rafraîchir. Puisqu'ils mangent généralement une fois pour plusieurs jours, le repos qu'ils s'imposent entre les repas les maintient pleins.

Pages 18–19

Les lions peuvent manger 34 kg de nourriture en un seul repas. Les lions s'attaquent principalement aux grands mammifères, y compris les zèbres, les buffles, les cerfs, les gnous et les phacochères. Les lions chassent généralement en équipe. Dans une troupe, ce sont les lionnes qui chassent le plus souvent. Les lions mangent en premier et les enfants en dernier.

Pages 20–21

Les lions ont une large crinière autour de leur cou. Les lions sont les seuls félins dotés de crinière. Seuls les lions mâles ont des crinières. La population des lions est en baisse en raison de la chasse et de la perte de l'habitat. On estime qu'il y a environ 39 000 lions sauvages dans le monde. La population des lions a été réduite de moitié depuis 1950.